Jujja Wieslander (1944) y su marido **Tomas Wieslander** (1940-1996) son los creadores de dos de los personajes más queridos de la literatura sueca: la vaca Mamá Muu y su amigo Cuervo. Esta serie, que iniciaron en los años ochenta, ha recibido importantes galardones como el Astrid Lindgren. Hasta la fecha se han publicado ocho títulos, que se han traducido en diferentes países, además de numerosas recopilaciones de canciones. Jujja Wieslander es también la guionista de los dibujos animados basados en esta serie.

Sven Nordqvist (1946) es uno de los ilustradores más populares de Suecia. Ha recibido numerosos premios como el Augustpriset o el Deutscher Jugendliteraturpreis. Además de la serie de Mamá Muu y Cuervo, ha tenido mucho éxito con los libros protagonizados por el granjero Pettersson y su gato Findus, de los que es autor e ilustrador.

Título original: *Mamma Mu läser*
© Jujja Wieslander (texto), Sven Nordqvist (ilustraciones) y Natur & Kultur, 2011
© de la traducción: Carlos del Valle, 2012
© MAEVA EDICIONES, 2012
Benito Castro, 6
28028 MADRID
emaeva@maeva.es
www.maeva.es

ISBN: 978-84-15120-90-2

Texto: Jujja Wieslander   **Ilustraciones: Sven Nordqvist**

Mamá Muu
y los libros

Basado en una idea de Jujja y Tomas Wieslander

Era otoño. Todas las vacas estaban en casa, en el establo.
Todas menos Mamá Muu.

Ella se encontraba en la biblioteca de la ciudad.

Patrik escuchaba un cuento.

Mientras, Mamá Muu ojeaba un abecedario.

–La MMM con la UUU, se pronuncia MUU –dijo lentamente.

–¡Muy bien Mamá Muu! –exclamó Lina–. ¡Dentro de poco podrás leer!

Era de noche cuando regresaron a casa.

Mamá Muu estaba sentada en la parte trasera de la camioneta.

El viento le revolvía el flequillo.

–¡Qué agradable es viajar por la noche! Solo se ven lucecitas. ¡Y además me han prestado unos libros! Me dijeron: «Todo el mundo es bienvenido a la *biblioqueta*».

Cuervo estaba acurrucado en la copa de
su abeto.

Se sentía intranquilo. Oteaba la granja.

De repente, vio las luces de la camioneta.

Observó cómo la mujer del granjero abría la
puerta del establo y metía a Mamá Muu.

–¡Qué vaca más rara! –suspiró–. ¿Dónde
habrá estado?

A la mañana siguiente las vacas volvieron al prado.

Cuervo apareció volando en busca de Mamá Muu.

No la encontró entre las demás vacas.

–¡Ha vuelto a desaparecer! –murmuró–. ¿Estará en el árbol intentando colgarse de las corvas?

Cuervo frenó en seco en el aire.

–¡Socorro! ¡Qué ven mis ojos!

¡Allí estaba Mamá Muu! Tumbada boca abajo junto a un árbol con las patas delanteras sobre la cabeza.

Cuervo aterrizó a su lado.

Picoteó con cuidado una de sus orejas.

–Mamá Muu… ¿estás muerta?

Mamá Muu se sentó y bostezó.

–¡Huy! Me he quedado dormida –respondió.

–¡Graj! ¡Pensé que te habías caído del árbol y te habías matado! –exclamó Cuervo–. No deberías hacer esas locuras en los árboles, Mamá Muu.

–No hacía locuras. Estaba aquí tumbada leyendo –indicó Mamá Muu.

–¿Leyendo? ¡Que me arranquen las plumas! Tú no sabes leer. ¿Qué está pasando aquí?

Mamá Muu cogió un libro del suelo.

–¡Mira, Cuervo! ¡Pipi Calzaslargas es tan fuerte que puede cargar con su caballo!

Cuervo suspiró.

–¡Eres una vaca, Mamá Muu!

Mamá Muu miró el libro.

–No, un caballo, Cuervo. ¡Imagina que fuéramos tan fuertes!

–¡Graj! ¡Leer no es tan difícil! –replicó–. ¡Incluso las piñas saben leer!

–Cuervo, ¿tú sabes leer? –preguntó Mamá Muu.

Cuervo señaló a Mamá Muu.

–Hum… ¿Te puedo preguntar qué hacías anoche? ¡Te vi regresar a casa en la CAMIONETA!

Mamá Muu abrazó el libro y entornó los ojos.

–Estuve en la *biblioqueta*. Leyendo –respondió con nostalgia.

Cuervo gruñó.

–Las vacas no pueden leer libros. ¡Las vacas NO TIENEN que leer libros! ¡Las vacas tienen que quedarse en casa! ¡Graj!

Cuervo se desplomó y se quedó sentado en el suelo.

–¿Por qué no haces cosas normales? –preguntó lastimero–. Como montar en bicicleta o trepar a los árboles…

–Los libros son muy divertidos, Cuervo. Si sabes leer, ¡te puedes enterar de casi todo!

–¿Cómo qué? –preguntó Cuervo, molesto–. ¿Quieres decir que **TODO** se puede encontrar en los libros?

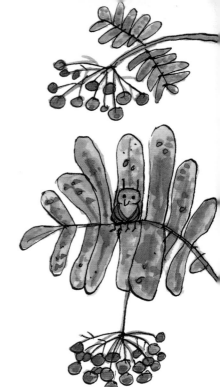

Mamá Muu recapacitó.

–Sí, eso creo.

–Vaya. ¿Dicen algo, por ejemplo, sobre por qué la leche es blanca si la hierba que comes es verde? ¿Puedes encontrar eso en los libros?

–Muu, quizá eso no…

Cuervo comenzó a pasearse arriba y abajo por la hierba.

–¡Vaya! ¡Así que eso no sale en los libros! ¿Por qué la leche es blanca? ¿Por qué, por qué, POR QUÉ? –murmuró para sí.

–Hum. Comes hierba verde… Se convierte en leche en tu estómago. Se vuelve blanca… Hum, hum.

Se rascó la cabeza.

–¡Ya lo tengo! –exclamó–.
¡Escribiré un libro sobre ello! *¿Por
qué la leche es blanca? El libro
del experto en leche.* ¡Escrito por
Cuervo! ¡Será un éxito! Por fin
los niños sabrán por qué la leche
es blanca. Ganaré un premio. ¡El
Premio Nobel! ¡Graj!

Todas las vacas habían regresado al interior del establo. Les habían servido un sabroso heno estival.

Cuervo apareció volando. Llevaba una cartera.

–Hola, Cuervo. ¿Qué tal va tu libro?

Cuervo abrió la cartera y sacó una linterna, un cronómetro, un cuaderno y un bolígrafo.

–Cuervo, ¿sabes escribir? –preguntó Mamá Muu.

–Silencio, vaca. ¡Mastica y mírame! –Se puso unas gafas y se sentó frente a Mamá Muu. La observó detenidamente mientras comía.

–Bien. ¡Muy bien! ¡Venga, mastica!

Cuervo accionó el cronómetro.
Mamá Muu dejó de masticar.

–¡Eh! ¿Qué es eso?

–Un cronómetro, Mamá Muu. ¡Sigue masticando!

–Muu, ¿un *croménotro?* ¿Qué es eso?

–Graj, ¡qué sabrán las vacas! –murmuró Cuervo–. ¡Sigue comiendo!

–¿Muu? –repuso Mamá Muu.

–¡Ya! ¡Dieciocho segundos! –proclamó Cuervo, y accionó el cronómetro–. ¡Vaca, abre la boca!

–¿Qué? –respondió Mamá Muu.

Cuervo estudió el interior de la boca de Mamá Muu. La alumbró con la linterna.

–Veamos, ahora está bajando. La comida todavía es verde… Va camino de convertirse en leche blanca… ¡Hum, qué interesante! El Premio Nobel… –murmuró en el interior–. ¡Me conocerán en el mundo entero! ¡Traga, Mamá Muu! ¡AHORA!

Volvió a accionar el cronómetro. Clic.

¡GLUP! ¡TRAGA!
Cuervo se echó a un lado.
Mamá Muu cerró la boca y comenzó a masticar de nuevo.
–¡AGGGGGGGGGGGGG! ¿Qué es eso que sube? –preguntó Cuervo.

–Es solo la comida que vuelve a subir. Desde mi segundo estómago.

–¡Tu segundo estómago! ¿Tienes más estómagos? –Cuervo clavó la vista en Mamá Muu.

–Muu –respondió con tranquilidad–. Tengo cuatro. ¿Y tú, cuántos tienes?

–¿Qué? ¡Que me arranquen las plumas! ¡Mis estómagos!

Cuervo recogió todas sus cosas.

–Me voy a casa. ¡Graj! ¡Cómo voy a ganar el Premio Nobel si ahora me vienes con eso de tus estómagos! ¡Adiós, Mamá Muu! No tengo tiempo para escribir.

Desapareció en la oscuridad.

Mamá Muu subió al pajar.

Se acomodó entre el heno con su libro de Pipi.

–¡Uf, es tan agradable descansar y leer después de comer! Pero en los libros no siempre se puede encontrar todo, como piensa Cuervo.

Nadie sabe por qué
la leche es blanca
si la hierba es verde.
Ese es mi secreto.